WALT DISNEY
Pinocho

p

Este libro pertenece a

_____

Este es un libro Parragon Publishing
Primera edición en 2007

Parragon Publishing
Queen Street House
4 Queen Street
Bath, BA1 1HE, UK

ISBN 978-1-4054-8496-1
Impreso en China

¿Alguna vez te has preguntado si los deseos se vuelven realidad? Pues sí, ¡ellos sí! Y yo, Pepe Grillo, ¡lo he visto suceder! Déjame contarte sobre eso.

Una noche estrellada, mis viajes me llevaron al pequeño taller de Gepetto, el viejo carpintero.

———————————————

Have you ever wondered if wishes really do come true? Well they do! And I, Jiminy Cricket, have seen it happen! Here, let me tell you about it. One starry night, my travels took me to a tiny shop owned by Geppetto, the wood carver.

Pasé bajo la puerta y vi al viejo Gepetto trabajando en una marioneta que parecía un niño pequeño. Gepetto le daba la última mano de pintura y decía: "Muy bien, pequeño cabeza de madera, ¡estás listo! Ya tengo el nombre perfecto para ti: ¡Pinocho! Vamos, te probaremos."

Gepetto bajó a Pinocho de su mesa de trabajo e hizo bailar a la pequeña marioneta sobre el piso de madera, jalando los hilos. Fígaro, el gato, no estaba muy seguro de gustar del recién llegado, que hacía ruido todo el tiempo. Pero a Gepetto le encantaba su pequeño Pinocho. "Fígaro, ¿no sería lindo que Pinocho fuera un niño de verdad? Oh, bueno, es hora de ir a la cama. Ven, Pinocho, pon tu espalda sobre mi mesa. Buenas noches, mi carita divertida."

I sneaked under the door and saw old Geppetto working on a puppet that looked like a little boy. Geppetto put on a last dab of paint and said, "There, little woodenhead, you're all finished! Now, I have just the name for you—Pinocchio! Come on, let's try you out."

Geppetto took Pinocchio down off the workbench and danced the little puppet across the wooden floor by pulling the strings. Figaro, the cat wasn't sure he liked the newcomer who clomped and clattered around the shop. But Geppetto liked his little Pinocchio very much. "Figaro, wouldn't it be nice if Pinocchio were a real, live boy? Oh well it's time for bed. Come, Pinocchio, let's put you back on the workbench. Good night, my little funny-face."

Justo antes de irse a dormir, Gepetto miró la noche estrellada desde su ventana. "¡Oh, mira, Fígaro! ¡La Estrella de los Deseos! ¿Sabes qué deseo, Fígaro? ¡Deseo que mi pequeño Pinocho pueda convertirse en un niño de verdad!" Y con eso Gepetto se fue a dormir contento.

"Un lindo pensamiento", dije, mientras me acostaba a dormir en una cajita de fósforos vacía. "Pero deseos como ése nunca se vuelven realidad."

Momentos después, el cuarto se llenó de luz y apareció allí la hermosa Hada Azul. Ella tocó a Pinocho con su varita mágica. "Pequeña marioneta hecha de pino, ¡despierta! El regalo de la vida es para ti."

¡Y entonces Pinocho se movió! "¡Puedo moverme! ¡Puedo hablar! ¿Pero cómo?"

"Porque esta noche Gepetto deseó que fueras un niño de verdad."

Just before going to sleep, Geppetto looked out his window into the starry night. "Oh, look Figaro! The Wishing Star! Do you know what I wish, Figaro? I wish that my little Pinocchio might become a real boy!" And with that, Geppetto drifted happily off to sleep.

"A very nice thought," I said as I settled down to bed in an empty matchbox. "But wishes like that never come true."

Moments later, the room filled with light, and there stood a beautiful Blue Fairy. She tapped Pinocchio with her magic wand. "Little puppet made of pine—wake! The gift of life is thine." Then Pinocchio moved!

"I can move! I can talk! But how?"

"Because tonight, Geppetto wished for a real boy."

"Pero recuerda Pinocho," advirtió el Hada Azul, "aún no eres un niño real. Primero debes probar que eres valiente, honesto y solidario. Y debes aprender a elegir entre lo que está bien y lo que está mal."

"¿Pero cómo lo sabré?"

"¡Yo le ayudaré, Señorita Hada!", exclamé, saltando sobre la mesa.

"En ese caso, Sr. Grillo, lo nombro la Conciencia de Pinocho", dijo el Hada. Y luego desapareció.

Cuando Gepetto se levantó y vio a Pinocho caminando y hablando, ¡estaba asombrado! "¡Es mi deseo hecho realidad! ¡Oh Pinocho, mi niño, estoy tan feliz!"

"¡Yo también, padre!" Y los dos bailaron por toda la tienda, riendo contentos.

"But remember, Pinocchio," warned the Blue Fairy, "you're not a real boy yet. First you must prove yourself brave, truthful and unselfish. And you must learn to choose between right and wrong."

"But how will I know?"

"I'll help him, Miss Fairy!" I said, jumping onto the workbench.

"In that case, Mr Cricket, I appoint you Pinocchio's Conscience." And with that, she vanished.

When Geppetto woke up and saw Pinocchio walking and talking, he was amazed! "It's my wish come true! Oh, Pinocchio, my boy, I'm so happy!"

"Me, too, Father!" And the two of them danced around the shop, laughing merrily.

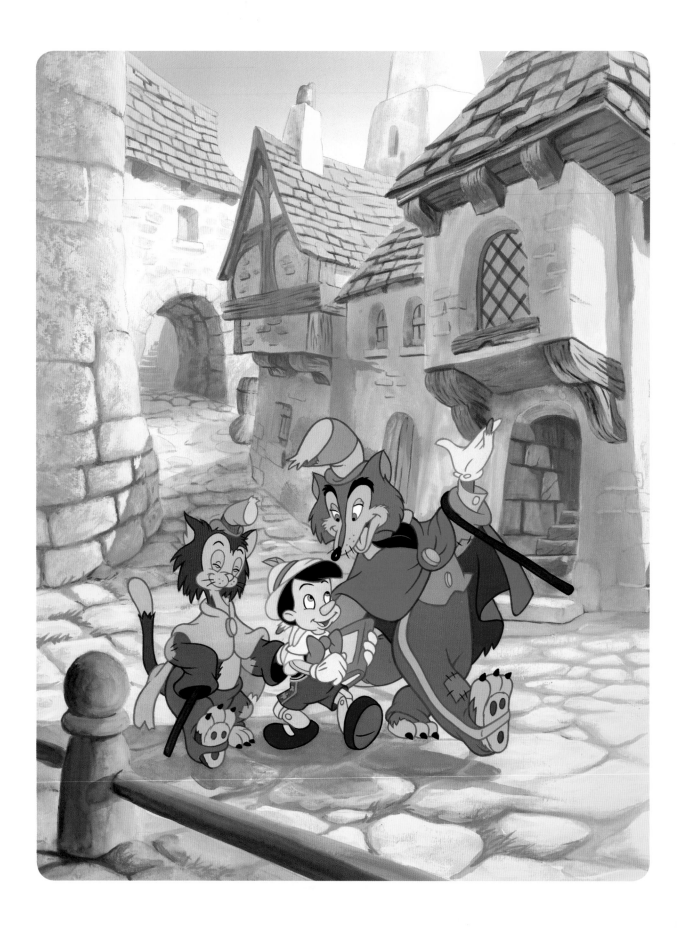

A la mañana siguiente, Gepetto mandó a Pinocho a la escuela. Pero los problemas no tardaron en aparecer. Un astuto zorro y un gato sagaz convencieron a Pinocho de que el lugar ideal para una marioneta sin hilos era el teatro. Así que alejaron a Pinocho de la escuela y lo llevaron con Strómboli, el dueño del teatro de marionetas.

Strómboli hizo actuar a Pinocho en público ese mismo día. La gente estaba ansiosa por ver a esa marioneta que podía cantar y bailar sin hilos. Sí señor, Pinocho era todo un éxito. Le dije que debería haber ido a la escuela, ¡pero él no me escuchó! Además, él estaba ganando tanto dinero que hasta pensé que quizás yo estaba equivocado. ¡Qué poco sabía!

The next morning, Geppetto sent Pinocchio off to school. But there was trouble hiding along the way. A sly fox and a crafty cat convinced Pinocchio that the place for a puppet without strings was the theater! And they steered Pinoke away from school and off to Stromboli, the puppetmaster.

Stromboli put Pinocchio into his puppet show that very day. The audiences poured in to see the little puppet who could sing and dance completely without strings. Yes, sir, Pinoke was a big hit. I told him he ought to be in school, but he wouldn't listen! Besides, he was making so much money that I figured I must be wrong. Little did I know!

En el vagón de Strómboli, después del espectáculo, ¡el codicioso titiritero le sacó el dinero a Pinocho y lo encerró en una jaula! "¡Este será tu nuevo hogar, mi pequeña mina de oro de madera!"

Pinocho sacudió los barrotes de su jaula. "¡No! ¡No quiero ser actor! ¡Quiero volver a casa! ¡Déjeme ir!" Pero Strómboli sólo rió y cerró la puerta del vagón de un golpe. Encontré al pobre Pinocho llorando en la oscuridad. "Debí escucharte, Pepe. Ahora creo que nunca podré regresar a casa."

In Stromboli's wagon after the show, the greedy puppetmaster took all Pinocchio's money and then locked him in a cage! "This will be your new home, my little wooden gold mine!"

Pinocchio shook the bars of his cage. "No! I don't want to be an actor! I want to go home! Let me out!" But Stromboli only laughed and slammed the wagon door. I found poor Pinoke crying in the dark. "I should've listened to you, Jiminy. Now I guess I'll never get home."

En ese momento, apareció el Hada Azul. Pinocho trató de cubrirse mintiendo, pero ante cada mentira, ¡su nariz de madera se hacía más y más larga! "¿Ves Pinocho? Las mentiras siguen creciendo hasta que son tan grandes como tu nariz. Te perdono ahora, pero es la última vez que te ayudo." Entonces ella agitó su varita y, en un abrir y cerrar de ojos, la nariz de Pinocho había regresado a la normalidad ¡y la puerta de la jaula se había abierto!

Just then, the Blue Fairy reappeared. Pinocchio tried to cover up his predicament by lying, but with each lie, his wooden nose grew longer and longer! "You see, Pinocchio, a lie keeps growing until it's as plain as the nose on your face. I'll forgive you this once, but this is the last time I can help you." She waved her wand, and in a twinkling, Pinocchio's nose was back to normal and the cage door open!

Cuando íbamos hacia la casa, Pinocho oyó hablar sobre un maravilloso lugar llamado La Isla del Placer, donde los niños tenían permitido romper ventanas, fumar cigarros y dormirse tarde. Esto me sonó sospechoso. Trepó a una carreta llena de ruidosos y tontos niños. No tuve más remedio que subir yo también.

En la isla, Pinocho se unió a esos niños y juntos rompieron muebles, arrojaron bolas de barro y jugaron al billar. Sabía que ese sitio no era bueno, así que intenté hablar con Pinocho y convencerlo de que se fuera de allí.

"¡Mírate! ¿Cómo esperas convertirte en un niño de verdad?"

"Uf, vamos Pepe... un hombre sólo vive una vez, tú sabes..."

"¡Muy bien, quédate! ¡Sigue haciendo tonterías!"

Y me fui.

As we headed for home, Pinoke heard about a wonderful place called Pleasure Island, where boys were allowed to break windows, smoke cigars and stay up late. It sounded fishy to me, but Pinoke wanted to go. He climbed aboard a coach full of noisy, foolish boys. All I could do was tag along.

At Pleasure Island, Pinocchio joined all those rowdy boys in wrecking furniture, throwing mudballs and playing pool. I knew this place wasn't good, so I tried to talk Pinoke into leaving.

"Look at yourself! How do you ever expect to be a real boy?"

"Aw, gee, Jiminy. A guy only lives once, you know."

"All right, stay! Make a fool of yourself!"

And I left.

A medida que me acercaba al muelle, vi que unos hombres siniestros llevaban a unos aterrados burritos hacia unas cajas. Lo extraño era que los burros usaban ropa de niños. Y algunos lloraban: "¡Mamá! ¡Mamá! ¡Entonces caí en la cuenta de que se trataba de chicos malos que habían sido convertidos en burros! Tenía que sacar a Pinocho de esa isla, ¡y rápido!

Corrí hacia la sala de billar, gritando. "¡Vamos Pinocho, debemos salir de aquí! ¡Los niños han sido transformados en burros!"

Pero era tarde. Pinocho ya tenía orejas de burro ¡y una cola!

"Oh, Pepe, ¿qué haré ahora? ¡Ayúdame!"

"¡Debemos salir de aquí antes de que te pongas peor! ¡Sígueme, Pinocho!" Entonces corrimos por la orilla, nos sumergimos en el mar y nadamos hasta tierra firme.

Pinocho salió del agua, aún tenía orejas de burro y cola, pero estaba feliz de haber logrado escapar de la isla. "¡Vamos a casa, Pepe! Quiero ver a mi padre."

As I headed for the boat dock, I noticed some sinister men herding frightened little donkeys into crates. The strange part was that the donkeys were wearing boys' clothing. And some were crying, "Mama! Mama!" Then it hit me! These were bad boys who had turned into donkeys! I had to get Pinoke off Pleasure Island—and fast!

I dashed back to the poolroom, hollering, "Come on, Pinoke! We've got to get out of here! The boys—they've all turned into donkeys!" But I was too late.

Pinocchio had already sprouted donkey's ears and a tail! "Oh, Jiminy, what'll I do? Help me!"

"We've got to get away from here before you get any worse! Follow me, Pinoke!" We ran to the water's edge, dove into the sea and swam for the mainland.

Pinocchio pulled himself from the water, still wearing ears and a tail, but he was glad he had escaped Pleasure Island. "Let's go home, Jiminy. I want to see my father."

Cuando llegamos al taller de Gepetto, el lugar estaba cerrado y Gepetto se había marchado. Entonces, una paloma mágica apareció volando y dejó caer una nota. "Pinocho, ¡se trata de tu padre! ¡Dice que salió a buscarte y fue tragado por una ballena llamada Monstruo!"

El pobre Pinocho pensó lo peor, pero yo seguí leyendo: "Espera, ¡él está vivo! Aquí dice que vive dentro de la ballena, en el fondo del mar."

Pinocho se puso firme. "Con ballena o sin ballena, ¡debo encontrar a mi padre y rescatarlo!"

"Pero, Pinocho, ¡es peligroso! ¡Ese Monstruo puede tragarse barcos enteros!"

"Debo ir por él, Pepe. Adiós." Entonces, Pinocho corrió hacia un alto acantilado que se alzaba sobre el océano, ató una roca a su cola y saltó al agua. La roca llevó a Pinocho al fondo del mar, y él comenzó a buscar a Gepetto.

"¡Padre, padre!"

When we arrived at Geppetto's workshop, the place was locked, and Geppetto was gone. Just then, a magic dove flew by and dropped a note. "Pinoke, it's about your father! It says he went looking for you and was swallowed by a whale named Monstro!"

Poor Pinocchio thought his father was done for, but I read on. "Wait—he's alive! It says he's living inside the whale at the bottom of the sea."

Pinocchio squared his shoulders. "Whale or no whale, I've got to find my father and rescue him!"

"But Pinoke, it's dangerous! This Monstro can swallow whole ships!"

"I've got to go to him, Jiminy. Goodbye." With that, Pinocchio ran to a high cliff over the ocean. He tied a rock to his tail and jumped into the water. The rock took Pinoke to the ocean floor, where he began his search for Geppetto. "Father! Father!"

Pinocho no tardó mucho en ver a la ballena. Monstruo estaba ocupado tragando atunes para la cena, y Pinocho fue engullido y llegó hasta la panza de Monstruo junto con los peces.

¡Gepetto estaba sorprendido! "¡Pinocho, mi niño! ¡Me alegra tanto verte!"

"¡A mí también, papá! Vine para salvarte."

"No, Pinocho. No hay salida. Monstruo sólo abre la boca cuando come. Y en ese momento todo entra y nada sale."

De repente, Pinocho tuvo una idea genial. "¡Padre, encenderemos un gran fuego y el humo hará estornudar a Monstruo!"

Pinocho y Gepetto comenzaron a hacer fuego y treparon a una balsa, mientras el humo subía hasta la nariz de Monstruo. La ballena gigante husmeó y bufó y, finalmente, estornudó. ¡Y la pequeña balsa salió disparada de su boca!

Pinocchio's search wasn't long. Monstro was busy swallowing up tuna fish for a meal, and Pinocchio was swept into Monstro's belly along with the fish. Geppetto was surprised! "Pinocchio, my boy! I'm so happy to see you!"

"Me, too, Father! I've come out to save you!"

"No, Pinocchio. There's no way out. Monstro only opens his mouth when he's eating. Then everything comes in—nothing goes out."

Suddenly, Pinocchio had a tremendous idea. "Father! We'll build a big fire and the smoke will make Monstro sneeze!"

Pinocchio and Geppetto started a blaze and then climbed onto a raft while the smoke curled upward toward Monstro's nose. The giant whale sniffed and snorted and finally sneezed the little raft right out of his mouth!

Pinocho y Gepetto pudieron escapar a salvo, pero Monstruo estaba enojado por haber sido engañado. Arremetió contra la pequeña balsa con una mirada terrible. Gepetto gritó, "¡Avanza, hijo! ¡Está intentando embestirnos!"

Monstruo se sumergió y luego apareció ferozmente desde abajo de la balsa. ¡Pinocho y Gepetto fueron lanzados al aire y su balsa se rompió en miles de pedazos!

Gepetto vio que la furiosa ballena estaba a punto de regresar. "¡Cuidado, mi niño! ¡Aquí viene otra vez!"

Pinocchio and Geppetto had escaped safely, but Monstro was angry at being tricked. He raced toward the tiny raft with a terrifying look in his eyes. Geppetto shouted, "Paddle, son! He's trying to crush us!"

Monstro dove underwater and then came up fiercely underneath the raft. Pinocchio and Geppetto were thrown into the air as their raft broke into a thousand pieces! Geppetto floundered helplessly as he watched the furious whale turn about. "Look out, my boy! Here he comes again!"

"¡Apresúrate, padre!" exclamó Pinocho. Pero Gepetto estaba demasiado cansado para nadar. "No puedo hacerlo, hijo. Sálvate tú."

"No padre. ¡No te dejaré!" dijo Pinocho.

Gepetto nadó valientemente hacia la orilla. Cuando Monstruo volvía a arremeter contra ellos, Pinocho jaló a Gepetto y lo llevó detrás de las rocas, poniéndolo a salvo.

Cuando Gepetto despertó, vio que estaba en la orilla fuera de peligro. Pero el pobre Pinocho estaba echado inerte sobre el agua. Gepetto, tristemente y con cuidado, llevó a Pinocho hasta su taller y recostó a la marioneta sin vida en su cama.

"Hurry Father!" urged Pinocchio. But Geppetto was too tired to swim anymore. "I can't make it, son. Save yourself."

"No, Father, I won't leave you!" Pinocchio grabbed Geppetto's shirt and swam bravely for shore. Just as Monstro dove at them, Pinocchio pulled Geppetto to safety behind some rocks.

Geppetto woke to find himself on shore, out of danger. But poor Pinocchio was lying deathly still in the pounding surf. Geppetto tearfully carried Pinocchio back to his workshop and laid the motionless puppet on the bed.

De repente, oímos la voz del Hada Azul. "Pinocho, has probado que eres valiente, confiable y solidario. ¡Despierta!"

Pinocho se sentó ¡y se dio cuenta de que era un niño de verdad!

Llenos de alegría, él y Gepetto bailaron en el taller.

Y así fue la historia. Como ves, los deseos sí pueden hacerse realidad.

Suddenly, we heard the Blue Fairy's voice. "Pinocchio, you have proved yourself brave, truthful, and unselfish. Awake!"

Pinocchio sat up to find himself changed into a real boy! Bursting with joy, he and Geppetto danced about the workshop. And so, you see, wishes really do come true.